Traduit par Nadège Verrier
Double-page 24-25
illustrée par Christine Flament

© The Salariya Book Company Ltd, 1997.
Publié par Watts en 1997.
Titre original : *Bandits*.
© Editions Epigones, 1998,
pour l'édition française.

ISBN 2-7366-4825-0.
Dépôt légal : novembre 1998,
Bibliothèque nationale.
Imprimé en CEE.

Editions Epigones
80, rue de Vaugirard
75006 Paris

les bandits

écrit par DAISY KEER

Série créée et conçue par
DAVID SALARIYA

épigones

SOMMAIRE

Un bandit est un criminel

qui vole, blesse ou tue. Présents
dans de très nombreux pays depuis
des milliers d'années, les bandits
sont, en règle générale, issus
des couches sociales les plus
pauvres et s'attaquent aux riches.
Ils restent souvent des criminels
toute leur vie.

Autrefois, la plupart des bandits
étaient de simples malfaiteurs
qui enfreignaient la loi.

Mais, ces deux derniers siècles,
les insurgés, les contestataires
et les terroristes ont emprunté
les mêmes méthodes pour parvenir
à leurs fins.

Des bandits grecs et romains sévissaient autrefois sur les mers, attaquant les bateaux et réduisant les passagers et l'équipage en esclavage. Les pirates s'en prenaient aussi aux villages situés le long de la côte méditerranéenne. En 67 av. J.-C., le général romain Pompée, alors chef suprême de l'armée, envoya une immense flotte pour mettre un terme à la piraterie. Sa réussite fut telle que les eaux autour de l'Italie restèrent calmes pendant les 250 années suivantes !

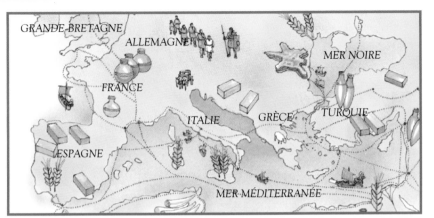

GRANDE-BRETAGNE
ALLEMAGNE
MER NOIRE
FRANCE
ITALIE
GRÈCE
TURQUIE
ESPAGNE
MER-MÉDITERRANÉE

Ivoire — Peaux
Cuivre — Vin
Bronze — Huile
Céréales — Étain
Or — Encens

Sur cette carte sont représentées les principales routes commerciales autour de la Méditerranée.

À gauche, figurent les marchandises dont on faisait commerce.

Sur la Méditerranée, les cargos grecs et romains transportaient des marchandises de valeur provenant d'Europe, d'Afrique et du Moyen-Orient. Ils étaient des cibles faciles car ils empruntaient des routes commerciales connues et ne s'éloignaient pas des côtes.

Les bateaux pirates attaquaient les navires marchands grecs en éventrant leur coque à l'aide des éperons pointus qui prolongeaient leur bateau.

Les Celtes ont

vécu en Europe centrale et occidentale entre 1100 av. J.-C. et 100 apr. J.-C. Redoutables guerriers, ils étaient réputés pour leur violence. Les chefs de clan surgissaient par surprise à l'aube pour attaquer les fermes et les villages ennemis. Ils dispersaient le bétail, prenaient l'or et l'argent et kidnappaient les femmes et les enfants. Chacun de leurs succès était marqué par un grand festin.

Les Celtes faisaient des sacrifices humains à leur dieu Teutatès. Les victimes étaient des criminels ou des prisonniers capturés lors des pillages. Ces guerriers assistant à un sacrifice furent représentés sur un bol en argent vers 100 apr. J.-C.

Pillards celtes à cheval figurant sur le même bol en argent. Les hommes de droite jouent de la trompette de guerre.

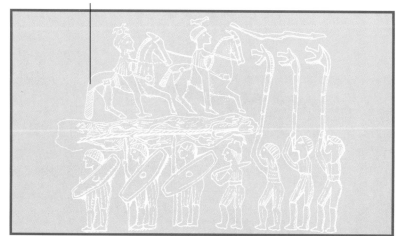

Le guerrier celte qui faisait preuve de la plus grande bravoure au cours d'un pillage, et revenait avec le plus gros butin, recevait un trésor et beaucoup d'alcool.

Les chefs de clan conduisaient les expéditions sur des fermes ennemies à bord de chars de guerre rapides, tirés par des chevaux robustes et puissants.

Les guerriers vikings amenaient leurs bateaux près des côtes puis sautaient par-dessus bord et gagnaient la terre ferme, déjà armés et prêts à l'attaque.

Les Vikings étaient des guerriers navigateurs qui peuplaient les pays scandinaves entre 800 et 1100 apr. J.-C. Dès le début du Xe siècle, ils ont mené des expéditions maritimes contre les peuples voisins des côtes de la Baltique, de l'Atlantique Nord et de la mer du Nord pour coloniser de nouvelles terres.

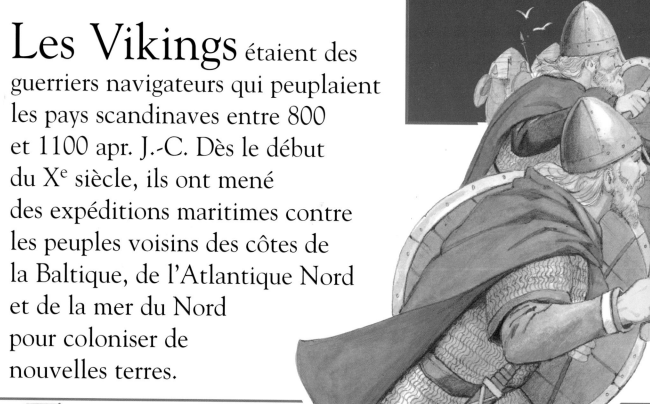

Les Vikings attaquaient les églises et les monastères, espérant trouver des croix en or, des calices (vases sacrés) en argent et des livres précieux.

Si un membre de leur famille était blessé ou tué par l'ennemi, ils exigeaient de l'argent ou demandaient la réparation de l'offense par un duel.

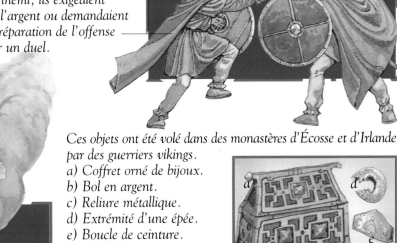

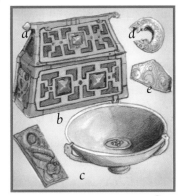

Ces objets ont été volé dans des monastères d'Écosse et d'Irlande par des guerriers vikings.
a) Coffret orné de bijoux.
b) Bol en argent.
c) Reliure métallique.
d) Extrémité d'une épée.
e) Boucle de ceinture.

Les communautés d'Islande votèrent des lois pour mettre un terme aux attaques des Vikings. Elles étaient récitées chaque année devant l'Althing (Parlement).

Tout le monde craignait ces « loups de la mer » (comme ils se nommaient eux-mêmes) assoiffés de sang. Les guerriers étaient impitoyables et sans merci envers leurs ennemis.

Les hors-la-loi
comme Robin des Bois
survivaient en chassant
des animaux sauvages
dans la forêt. Le gibier
sauvage appartenait au roi
ou à ses seigneurs. Voler
ou « braconner » était
un délit grave.

Seigneur punissant ses sujets

Même si Robin des Bois
était un héros, dans
la réalité, les hors-la-loi
étaient des hommes
sauvages, dangereux
et cruels. Une fois pris,
ils étaient sévèrement
punis et pouvaient
être pendus.

Robin Hood, Robin des Bois, apparaît dans la poésie populaire anglaise du Moyen Âge où il incarne la résistance du petit peuple face à la noblesse.

Robin des Bois et sa bande se cachaient dans les bois et attaquaient les voyageurs avec des flèches. Ces armes étaient très populaires au Moyen Âge chez les gens du peuple. Peu chères à fabriquer, elles étaient légères et, dans des mains expertes, pouvaient devenir des instruments mortels. Robin des Bois était célèbre pour ses talents d'archer.

Auberge du Moyen Âge

Selon la légende, Robin des Bois était un « gentil » bandit qui détroussait les riches pour aider les pauvres. Il vivait dans la forêt de Sherwood, près de Nottingham.

Dans les châteaux et les auberges, des poètes et des chanteurs amusaient l'assistance avec les aventures de Robin des Bois et contaient les démêlés de ce libre et courageux héros avec le shérif de Nottingham.

À bord du *Golden Hind* :
a) gaillard d'avant. b) misaine.
c) cabestan (pour enrouler
les cordes et l'ancre).
d) canot pour aller
jusqu'à la rive. e) grand mât.
f) grand-voile. g) gréement.
h) batterie. i) soute à canons.
h cuisine.

Francis Drake (1540-1596) fut anobli par la reine Élisabeth Ire d'Angleterre en remerciements de ses actions contre la flotte espagnole.

Les armoiries de Francis Drake représentaient la mer et le Golden Hind à bord duquel il fit le tour du monde entre 1577 et 1580.

Les corsaires

étaient des marins indépendants chargés par leur gouvernement dans une « lettre de marque » de rançonner les navires ennemis pour le compte de l'État. Entre le XIIIe et le XIXe siècle, c'était un moyen pratique et économique de porter atteinte au pays ennemi sans entrer véritablement en guerre. C'est ainsi, par exemple, que le corsaire anglais Francis Drake fit fortune.

À **partir de l'or** et de l'argent
du Nouveau Monde, les Espagnols
frappaient les doublons et
les pièces de 8. C'était la monnaie
recherchée par les corsaires.

À **bord d'un bateau corsaire**, l'excitation
des marins pendant les expéditions fait place
à la crainte de la mer lors de tempêtes ou
à l'ennui lors des longs voyages sans escales.

19

Au Japon, les samouraïs

(guerriers) issus des familles nobles étaient tenus d'obéir à un code d'honneur, le « bushido ». Mais les samouraïs de condition plus modeste se comportaient souvent comme des bandits. Ils parcouraient le pays à la recherche de nourriture et de rivaux pour se battre. Lors des affrontements avec un groupe ennemi, ils n'hésitaient pas à brûler les fermes et les maisons des gens du peuple.

Les guerriers samouraïs se battaient avec de longues épées, des arcs et des flèches. Faite de cuir et d'osier, leur armure était à la fois légère, souple et résistante. Les seigneurs de la guerre offraient parfois à leurs troupes des armures assorties.

Les officiers samouraïs avaient des chevaux rapides ; les soldats, eux, se battaient à pied. Les seigneurs établis près de la mer entretenaient souvent une flotte de vaisseaux de pirates.

Au XVIIIᵉ siècle, devenir bandit de grand chemin était pour beaucoup l'ultime étape de la carrière de criminel. Enfants, ces bandits volaient l'argent ou la montre des riches passants.

À partir du XVIIIᵉ siècle, les diligences effectuaient des trajets réguliers entre les villes. Armés de pistolets, les bandits de grands chemins se déplaçaient à cheval, attendant sur le bas-côté de la route le moment opportun pour attaquer la diligence et détrousser les voyageurs.

Lorsqu'ils avaient amassé assez d'argent pour acheter un cheval et des pistolets, les bandits se postaient sur une route droite et préparaient l'assaut.

Certains bandits portaient des masques pour ne pas être reconnus mais d'autres, comme Louis Mandrin, étaient célèbres.

Bandit arrêté

Certains voleurs devenaient riches mais c'était plutôt risqué car ils étaient souvent arrêtés.

Le procès

Une fois arrêtés, les bandits étaient jugés. Détrousser les voyageurs était sévèrement puni.

Reconnus coupables, les voleurs allaient en prison. Leur seul espoir était que leurs amis achètent leur libération.

Arrêté et condamné une seconde fois, le bandit était pendu en public.

Mary Read (1690-1720), femme pirate anglaise, fut soldat et marin avant de rejoindre un équipage pirate dans les Caraïbes.

Au début du XIXᵉ siècle, une autre femme pirate, Ching Shih, était à la tête de 1800 bateaux qui sévissait dans la mer de Chine méridionale.

Sillonnant les mers,

les pirates dépouillaient les navires dans l'espoir de trouver de la nourriture, des esclaves ou des trésors. Si le butin était important, les pirates pouvaient devenir

Anne Bonny (?-1720) choisit de devenir pirate sur le vaisseau de Rackham le Rouge et se battit courageusement à ses côtés.

Véritables fléaux pour le commerce, les pirates coulaient les bateaux des vaincus. La piraterie avait été déclarée hors-la-loi depuis plusieurs siècles.

millionnaires. Les plus célèbres furent les boucaniers français et anglais qui semèrent la terreur dans les Caraïbes aux XVIe et XVIIe siècles. Mais ils étaient pendus s'ils étaient capturés.

Les Thugs étaient

des meurtriers organisés en gangs qui se cachaient dans les forêts et les montagnes de l'Inde. Adorateurs de Kali, déesse hindoue de la Mort, ils volaient et tuaient pour lui offrir des sacrifices. Très religieux, les Thugs profitaient néanmoins de leurs butins. Apparus vers 200 apr. J.-C., ces gangs subsistèrent très longtemps avant d'être anéantis par l'armée britannique dans la première moitié du XIXe siècle.

Tipu Sahid, sultan du Mysore (ancien État indien) entre 1782 et 1799,

conduisit de nombreuses expéditions contre les Britanniques pour défendre ses États. Dans son palais, il gardait un modèle grandeur nature d'un tigre dévorant un soldat britannique.

Pour tuer leurs victimes, les Thugs pratiquaient le meurtre par strangulation à l'aide d'une écharpe. Ils avaient leur propre langue et communiquaient par des signes secrets.

Lakshmibai rani (reine) de Jhansi

Après la prise de son royaume par les troupes britanniques en 1857, Lakshmibai, rani de Jhansi, partit au combat. Elle se battit avec courage et beaucoup dirent d'elle qu'elle était l'un des meilleurs guerriers qu'ils n'aient jamais vu. Elle mourut de ses blessures en 1858.

La révolution mexicaine, 1910.

Pour le peuple, les révolutionnaires étaient de courageux héros qui se battaient pour l'indépendance ou la réforme de leur pays. Du point de vue des dirigeants et des chefs de l'armée, les révolutionnaires étaient des criminels qui provoquaient des bains de sang et semaient la terreur.

1789 marqua le début de la Révolution française. Le peuple exigeait de ne plus être tenu à l'écart de l'administration du pays. Pendant les 150 années suivantes, de nombreux peuples se révoltèrent de la même façon contre leur gouvernement. Beaucoup de révolutions éclatèrent, notamment en Amérique du Sud, en Europe et au Mexique.

Les marrons étaient les esclaves fugitifs qui attaquaient les maisons des colons blancs.

Simón Bolívar (1783-1830) libéra quatre pays d'Amérique latine de la domination espagnole.

Des bandits des montagnes bulgares et des soldats religieux se regroupèrent pour demander leur indépendance.

Les Klephtes étaient des patriotes grecs qui s'opposèrent farouchement à l'occupation turque.

Les autonomistes corses refusent le rattachement à la France. La « vendetta » est toujours appliquée.

Pancho Villa (1878-1923) fut un chef révolutionnaire de la révolution mexicaine de 1910.

En 1715 et 1745, les chefs des Highlands (Écosse) s'opposèrent à la couronne britannique.

Au cours du XIXᵉ siècle, l'Ouest américain était la terre de prédilection de nombreux bandits qui terrorisaient les colons : escrocs, voleurs, meurtriers sévissaient partout. Comme les pacifiques colons, ces bandits voyaient dans l'Ouest américain la terre de tous les espoirs, où ils pourraient faire fortune. Mais contrairement aux pionniers, ils refusaient de se soumettre à la loi.

Les voleurs de bétail étaient des cow-boys qui rabattaient les troupeaux de bétail vivant en liberté dans les Grandes Plaines pour les vendre au marché.

Le célèbre Buffalo Bill fit le tour des États-Unis entre 1883 et 1913 avec un spectacle nommé Wild West Show dans lequel il reproduisait les pillages des bandits dans les trains et les villes-étapes de la conquête de l'Ouest.

Jesse James (1847-1882) et sa bande attaquèrent une multitude de banques, de diligences et de trains. Il fut abattu par un rival désireux de toucher la récompense.

Qui enfreint la loi et pourquoi?

Il existent différentes sortes de criminels. Certains montrent une forme de « maladie du crime », d'autres sont psychologiquement faibles. Et puis, il y a ceux qui appartiennent à une bande à laquelle ils jurent fidélité. Souvent, ils y trouvent de l'amitié et une protection ou bien sont séduits par ses idées fortes. Mais une fois sous l'emprise de la bande, il doivent obéir à son chef.

Ned Kelly (1855-1880) était le chef d'une bande dont les membres furent tués lors d'un règlement de comptes. Lui, fut pendu.

Al Capone (1899-1947) fut le plus célèbre gangster américain. Il fit assassiner beaucoup de ses rivaux et fit fortune en vendant illégalement des boissons alcoolisées.

Le Ku Klux Klan est une société secrète américaine qui a vu le jour vers 1860. Ses membres considèrent les Blancs comme des êtres supérieurs. Ils assassinent tous ceux qui s'opposent ouvertement à leurs idées.

Bonnie Parker (1909-1934) et Clyde Barrow (1910-1934) tuèrent 12 personnes en 4 ans avant de tomber dans un guet-apens tendu par la police et d'être, à leur tour, abattus.

Les membres des sociétés secrètes portent souvent des habits particuliers, pour passer inaperçus ou, au contraire, pour montrer leur appartenance à une société. Les membres du Ku Klux Klan sont vêtus de grands draps blancs et de coiffes pointues couvrant également leur tête.

Triade chinoise

Mafiosi

En Chine, les sociétés secrètes, qui opèrent dans de nombreuses grandes villes, sont appelées triades. Elles sont impliquées dans les jeux d'argent illégaux, le trafic de drogue et autres délits semblables.

La mafia est une organisation secrète sicilienne qui opère maintenant dans un grand nombre de régions. Nombreux sont les meurtres et les crimes organisés qui lui sont attribués.

Les terroristes utilisent

la terreur et la violence pour protester contre la politique du gouvernement ou permettre à leur formation politique d'accéder au pouvoir. Par la force, ils contraignent les gens à les soutenir.

En 1914, l'archiduc d'Autriche François-Ferdinand et sa femme sont assassinés par un Serbe, Gavrilo Princip, qui proteste contre le destin réservé à son pays. Cet attentat déclencha la Seconde Guerre mondiale.

En 1984 l'IRA
(*Irish Republic
Army*), posa une
bombe dans l'hôtel
où résidaient
le Premier ministre,
Margaret Thatcher,
et son gouvernement.
Cet attentat fit
de nombreux
blessés et causa
d'importants
dégâts.

Les pirates de l'air
sont des terroristes
particulièrement
dangereux dont l'objectif
est de prendre le contrôle
d'un avion. Certains
placent des explosifs
à bord pour faire exploser
l'appareil en vol.

Pirate de l'air

MOTS UTILES

Althing :
En Islande,
l'*Althing* désignait
l'assemblée
d'hommes libres.
Il se réunissait
une fois par an
pour régler
les conflits et voter
de nouvelles lois.

Barbare :
Personne qui n'est
pas civilisée, cruelle
et féroce.

Boucaniers : Pirates
qui attaquaient
les navires dans
les eaux des
Caraïbes.

Bushido : Code
d'honneur de
la caste de guerriers
(ou samouraïs)
de l'ancien Japon.

Calice : Vase où
l'on verse le vin.

Coloniser :
S'installer sur
un territoire. Par
le passé, les nations
les plus puissantes
colonisaient
les plus faibles.

Corsaires : Marins
indépendants
autorisés par
leur gouvernement
à capturer
les navires
ennemis.

Diligence : Grande
voiture tirée par
un attelage, qui
empruntait
un itinéraire
préétabli, et
s'arrêtait dans
des relais.

Hors-la-loi :
Personne qui
a enfreint la loi
et qui vit en marge
de la société.

Lettre de marque :
Sorte de licence
de piraterie, la
« lettre de marque »
était la lettre
par laquelle
un souverain
autorisait
des corsaires
à piller les navires
ennemis.

Révolution :
Mouvement
de rébellion
déclenché
par les
plus
pauvres
ou ceux
qui n'ont
pas le
pouvoir
contre
celui ou
ceux qui
les gou-
vernent.

Samouraïs :
Guerriers qui
accompagnaient
leur seigneur au
combat dans le
Japon féodal du XIIᵉ
siècle jusqu'au début
du XVIIᵉ siècle.